Colega

Libro del alumno 3

María Luisa Hortelano
Elena G. Hortelano

edelsa
GRUPO DIDASCALIA, S.A.
Plaza Ciudad de Salta, 3 - 28043 MADRID - (ESPAÑA)
TEL.: (34) 914.165.511 - (34) 915.106.710
FAX: (34) 914.165.411
e-mail: edelsa@edelsa.es - www.edelsa.es

Primera edición: 2011

© Edelsa Grupo Didascalia, S.A. Madrid, 2011.

Directora del proyecto y coordinadora del equipo de autores: María Luisa Hortelano.
Autoras: María Luisa Hortelano, Elena González Hortelano.
Dirección y coordinación editorial: Departamento de Edición de Edelsa.
Diseño de cubierta: Departamento de Imagen de Edelsa.
Diseño y maquetación de interior: Carolina García.
Ilustradoras:
Ángeles Peinador: págs. 4, 5, 7 (ej. 5), 9, 10, 12, 13, 14 (ej. 1), 16/17 (plano), 18, 19, 20, 22, 24, 25, 26 (Colega), 29, 30, 32, 37, 38 (ej. 1), 40, 42, 45, 46 (ej. 3), 48, 50, 52, 54, 56, 57, 58, 59 (ej. 5), 60, 62, 66.
Olga Carmona: págs. 5 (ej. 5), 6 y 7 (ej. 4 y 6), 8, 11, 14, 15, 16, 17, 21, 23, 24 (ej. 1), 26, 28, 29 (pizarra), 31, 33, 34, 37 (ej. 3), 38, 39, 41, 47 (ej. 5), 49, 51, 59 (ej. 3), 61, 64, 65, 70.
Estrella Fages: cubierta. Ilustraciones de *Colega 2*: mapas, págs. 6, 10, 20, 30, 40, 44, 50, 60. Pág. 46 (ej. 1), 47 (ej. 7), 68.

Imprime: Egedsa.

ISBN: 978-84-7711-724-7   ISBN Pack (alumno + ejercicios): 978-84-7711-728-5
Depósito Legal: B-14908-2011
Impreso en España / *Printed in Spain*

Fuentes, créditos y agradecimientos:

Nuestro más sincero agradecimiento a los numerosos profesores y profesoras de español en centros de primaria en el exterior, así como a los compañeros del programa ALCE del Ministerio de Educación, que desde la publicación de nuestro primer método, *La Pandilla*, y ahora con *Colega*, nos han hecho llegar su constante valoración así como interesantes sugerencias y propuestas que intentamos recoger en estos materiales. Gracias también a los niños y niñas del aula de español de Camden por ayudarnos a realizar y pilotar algunos de los proyectos que aparecen en este libro.

Fotografías:
Ángel Luis Hernanz Gabriel http://www.hergaban.es/ págs. 27, 36, 43, 53, 63, 64.
Yolanda y Trini González: págs. 11, 21, 31, 41, 51, 61.
Marisa Hortelano: pág. 13.

CD audio: Locuciones y Montaje Sonoro ALTA FRECUENCIA MADRID 915195277 altafrecuencia.com
Voces de la locución: Juani Femenía, Arantxa Franco, Elena González y José Antonio Páramo. Cantantes/coro: Arantxa Franco y Elena González: pistas 14 y 31.
Composición y arreglos musicales: Fran Cruz: pistas 14 y 31.
Canciones: pistas 2, 8, 17, 19 de *La pandilla 2*.
Canción: pista 11 de *Los Trotamundos 1*.
Fragmento musical: Antonio Vivaldi, *La primavera*, pistas 24 y 45.

Índice

ESCUCHAR LEER ESCRIBIR OBSERVAR/APRENDER

SEÑALAR CANTAR EN GRUPO

DIBUJAR TRABAJO MANUAL EN PAREJAS

La pandilla

1. Escucha y lee.

¿Te acuerdas de mí?
Soy Julia. Tengo 9 años.
Soy española. Vivo en Madrid
con mi padre y mi hermano.
Mi hermano se llama Ramón y
tiene 15 años. Mi madre trabaja
en Bolivia. Tengo una tortuga
que se llama Pancha.

¡Hola! ¿Cómo estáis?
Nosotros somos hermanos: yo soy
Rubén y tengo 10 años. Ella es Ana y
tiene 9 años. Somos mexicanos, pero
vivimos en Madrid. Tenemos un hermano
que se llama Pablo y tiene 7 años.
Yo tengo una gata blanca y negra
que se llama Zoa.

Hola, ¿qué tal?
Yo tengo un perro. Mi perro se llama
Colega y es muy inteligente. Mis abuelos
paternos viven en México y mis abuelos
maternos viven aquí en España.

2. Contesta.

- ¿Cuántos años tiene Rubén?
- ¿Qué mascota tiene Julia?
- ¿Cómo se llama la hermana de Chema?

3. Observa y aprende.

	ESTAR	SER	TENER	VIVIR
(yo)	estoy	soy	tengo	vivo
(tú)	estás	eres	tienes	vives
(él/ella/usted)	está	es	tiene	vive
(nosotros/as)	estamos	somos	tenemos	vivimos
(vosotros/as)	estáis	sois	tenéis	vivís
(ellos/ellas/ustedes)	están	son	tienen	viven

Vivimos en Madrid

Yo soy vecino de Elena. Me llamo Chema y tengo 10 años. Vivo en Madrid con mis padres y mi hermana Luna, que tiene 4 años. Mi madre es cubana y mi padre es español. Tengo un ratón que se llama Cito.

¡Hola! Soy Elena. Yo también vivo en Madrid. Soy española. Tengo 9 años. Vivo con mi madre, mi abuela y mi pájaro Pío. No tengo hermanos.

¿Dónde...? → En...
¿Con quién...? → Con...

4. Practica.

¿Dónde vives?

Vivo en Sevilla.

¿Con quién vives?

Vivo con mis padres y mi hermano.

5. Recuerda.

nosotros

nosotras

vosotros

vosotras

ellos

ellas

Hablamos español

UNIDAD

1. **Observa el mapa: ¿Dónde hablan español?**

2. **2** **Escucha y canta.**

Buenas.
Buenos días, América.
¿Cómo estás? Muy buenas. (4 veces)

Buenos días, América.
Buenos días, ¿cómo está usted?

3. **Observa y aprende.**

¿Qué idiomas hablas?

Hablo portugués y un poco de español.

País	Idioma
Francia	francés
Reino Unido	inglés
Alemania	alemán
Brasil	portugués
Grecia	griego
Japón	japonés
Italia	italiano
Polonia	polaco

	HABL**AR**
(yo)	habl**o**
(tú)	habl**as**
(él/ella/usted)	habl**a**
(nosotros/as)	habl**amos**
(vosotros/as)	habl**áis**
(ellos/ellas/ustedes)	habl**an**

4. **¿Qué idioma hablan en...?**

Reino Unido

Japón

Francia

Italia

5.  **Escucha y lee.**

¿DE DÓNDE ERES?

Soy **de** Perú.
Soy peruan**a**.

Soy **de** México.
Soy mexican**o**.

¿DE DÓNDE SOIS?

Somos **de** Venezuela.
Somos venezolan**as**.

Somos **de** Argentina.
Somos argentin**os**.

6.  **Observa y aprende.**

ESPAÑA	español	español**a**	español**es**	español**as**
PORTUGAL	portugués	portugues**a**	portugues**es**	portugues**as**
ARGENTINA	argentin**o**	argentin**a**	argentin**os**	argentin**as**

7.  **Señala y pregunta a tu compañero.**

Cuba

Alemania

China

Japón

España

Portugal

¿De dónde **es**?

¿De dónde **son**?

UNIDAD 1 — Damos la dirección

I. 🔍 Observa y aprende.

5.° quinto
4.° cuarto
3.° tercero
2.° segundo
1.° primero

la calle   la plaza   la avenida   la casa   el piso

2. 💿 Escucha y relaciona.

¿CUÁL ES TU DIRECCIÓN?

a.

b.

David Ortega Moreno
c/ Murcia, 7, 4.° C
Barcelona

☐

Susana Gómez Gil
Calle Venezuela, 12
Sevilla

☐

c.

d.

Miguel García Martínez
Plaza de los amigos, 10, 5.° A
Valencia

☐

Belén y Rosa Rodríguez
Avenida de Francia, 7
Madrid

☐

3. 👫 Pregunta la dirección a tu compañero.

¿Cuál es tu dirección?

Calle Laurel, número 27.

Quique vive en Argentina LECCIÓN 3

4.  Escucha y lee.

mi tío
mi tía
mi prima
mi primo

El hermano de mi madre es mi tío Quique. Mi tío es español, pero vive en Argentina. Su mujer se llama Carla y es canadiense. Tienen un hijo y una hija. Mis primos hablan español, francés y un poco de inglés. Viven en Buenos Aires, plaza de la Independencia, 7 segundo A.

5.  Contesta.

- ¿Dónde vive el tío de Elena?
- ¿Qué idiomas hablan los primos de Elena?
- ¿De dónde es su tía?
- ¿Cuál es su dirección?

EL RINCÓN DE LOS SONIDOS

6. Escucha y repite.

7. Practica con tu compañero.

¿Cómo se escribe *casa*?

Ce, a, ese, a.

c < a o u   qu < e i

casa

quinto
cuarto

Colombia

- ¿Con quién vives?
- Con Carla y Quique.

Quique

ca co cu que qui

Conocemos... MADRID

Madrid

Empezamos conociendo Madrid porque nosotros vivimos aquí. Madrid es la capital de España y está en el centro del país.

Esta es la Puerta del Sol. Es el centro de la ciudad y el kilómetro cero de España. Aquí está *El oso y el madroño*, símbolo de Madrid.

Este es el parque del Retiro. Tiene un estanque y puedes subir en barca.

Y esta es la fuente de Cibeles. Cibeles es una diosa griega.

Estamos en el teleférico. Podemos ver Madrid desde arriba: este es el río Manzanares.

¿Y EN TU PAÍS...?

- ¿Cuál es la capital de tu país?
- ¿En qué ciudad vives tú?
- ¿Hay parques en tu ciudad?
- ¿Puedes subir en barca en tu ciudad?

- ¿Hay un río en tu ciudad?
- ¿Conoces el nombre de las capitales de otros países?
- Busca y di el nombre de tres capitales de países donde se habla español.

Amigos por correo

CORREO ELECTRÓNICO

Hola, soy Marco. Me encantan los ordenadores. Busco amigos por correo.

← →	Reenviar	Responder	Enviar y recibir	Eliminar

¡Hola!

Me llamo Marco y tengo 10 años. Busco un amigo o una amiga por correo. Soy español y vivo en Madrid, en la calle Velázquez, número 37. Vivo con mi padre, mi madre y mi abuelo. No tengo hermanos. Tengo un perro que se llama Tabú y es muy inteligente. Hablo español y un poquito de inglés. Me gustan mucho los ordenadores. También me gusta hacer deporte: juego al fútbol y hago natación.

En el colegio estoy en 5.º curso de primaria. Mi asignatura preferida es E.F. (Educación Física). Mi mejor amiga en el colegio se llama Sofía.

Los fines de semana vamos al pueblo de mi abuelo. El pueblo se llama Pedrezuela y allí tengo muchos amigos.

¿Quieres ser mi amigo o amiga por correo?

Marco.

Me encantan los ordenadores

Mi amiga Sofía y yo

LA ADIVINANZA

El hermano de mi tío
no es tío mío...
¿Quién es?

Mi padre

EL CHISTE

¿Española o francesa?

Una tortilla, por favor.

Me da igual. No voy a hablar con ella.

Capítulo 1

EL CONDE ROCKE

Un sobre en blanco

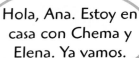

Hacemos una insignia.

CIUDADANOS DEL MUNDO

Necesitamos

Fotocopia en
carpeta de recursos

pinturas

tijeras

cartulina

celo

pegamento

imperdible

papel adhesivo
transparente

1.

2.

3.

4.

5.

2 UNIDAD ¿Dónde quedamos?

1. **Escucha y lee.**

2.  **Observa y escribe: ¿A qué hora?**

 a. ....

....

 b. *A las* ....

....

 c. ....

 d. ....

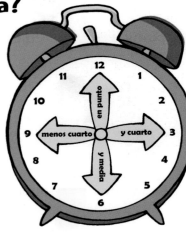

3.   **Escucha y canta.**

Cuando el reloj marca la una,
los esqueletos salen de la tumba.
Tumbas por aquí,
tumbas por allá
¡Tumbas! ¡Tumbas!
¡Ja, ja, ja, ja, ja!
Cuando el reloj marca las dos,
los esqueletos comen arroz.
Tumbas por aquí...
Cuando el reloj marca las tres,
los esqueletos beben café.
Tumbas por aquí...

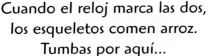

Cuando el reloj marca las cuatro,
los esqueletos bailan un rato.
Cuando el reloj marca las cinco,
los esqueletos hablan en chino.
Cuando el reloj marca las seis,
los esqueletos cantan ¡hey!
Cuando el reloj marca las siete,
los esqueletos se lavan los dientes.
Cuando el reloj marca las ocho,
los esqueletos limpian el polvo.
Cuando el reloj marca las nueve,
los esqueletos a la tumba vuelven.
Tumbas por aquí...

4.   Escucha y lee.

LEVANTARSE

(yo)	**me** levant**o**
(tú)	**te** levant**as**
(él/ella/usted)	**se** levant**a**
(nosotros/as)	**nos** levant**amos**
(vosotros/as)	**os** levant**áis**
(ellos/ellas/ustedes)	**se** levant**an**

ACOSTARSE

(yo)	**me** acuest**o**
(tú)	**te** acuest**as**
(él/ella/usted)	**se** acuest**a**
(nosotros/as)	**nos** acost**amos**
(vosotros/as)	**os** acost**áis**
(ellos/ellas/ustedes)	**se** acuest**an**

DESAYUNAR

(yo)	desayun**o**
(tú)	desayun**as**
(él/ella/usted)	desayun**a**
(nosotros/as)	desayun**amos**
(vosotros/as)	desayun**áis**
(ellos/ellas/ustedes)	desayun**an**

COMER

(yo)	com**o**
(tú)	com**es**
(él/ella/usted)	com**e**
(nosotros/as)	com**emos**
(vosotros/as)	com**éis**
(ellos/ellas/ustedes)	com**en**

ESCRIBIR

(yo)	escrib**o**
(tú)	escrib**es**
(él/ella/usted)	escrib**e**
(nosotros/as)	escrib**imos**
(vosotros/as)	escrib**ís**
(ellos/ellas/ustedes)	escrib**en**

Yo me levanto a las ocho.

Desayuno a las ocho y cuarto.

A las nueve menos cuarto voy al colegio.

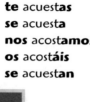

A las nueve y media me acuesto.

A las ocho y media leo.

Como en el colegio a la una.

A las cuatro y media voy a casa.

A las ocho ceno.

A las ocho menos cuarto me ducho.

A las siete veo la tele.

A las cinco y media hago los deberes.

A las cinco meriendo.

1. 🔟 🔍 Observa el plano y escucha.

Ayuntamiento

Centro de Salud

Videoclub

Comisaría

Avenida de los Encuartes

Biblioteca

Supermercado

Escuela de Música

Estación de Tren

H

Restaurante

Banco

Hotel

Calle de la Luna

Avenida del Comercio

Carnicería

Cafetería

Calle Laurel

Farmacia

Panadería

Avenida del Parque

Parque

Peluquería

Mira. Vamos todo recto por la calle Salvia, luego giramos la primera a la izquierda y después la segunda a la derecha. La casa de Elena está enfrente del centro de salud.

2. 👫 Practica.

- ¿Dónde hay un restaurante?
- En la avenida del Comercio, al lado del banco.

- ¿Dónde está el banco?
- Enfrente del videoclub.

al lado de

enfrente de

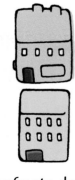

entre

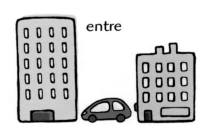

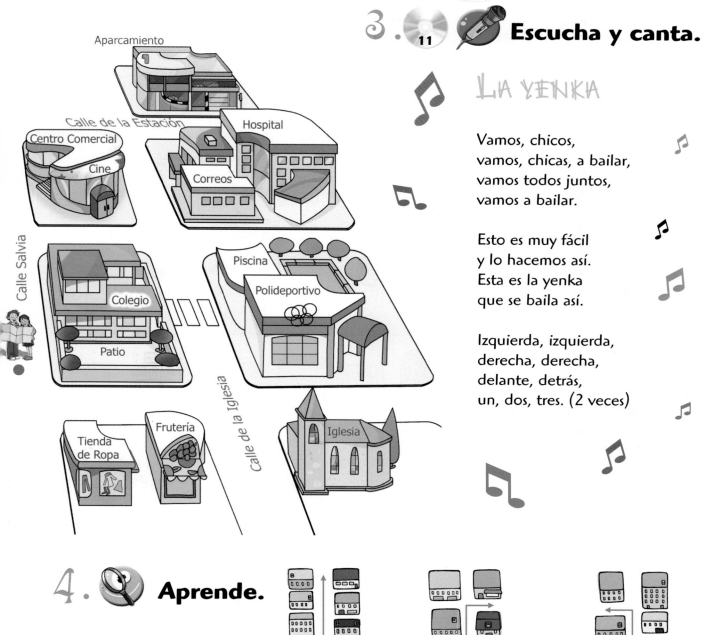

Aparcamiento

Calle de la Estación

Centro Comercial

Cine

Hospital

Correos

Calle Salvia

Piscina

Polideportivo

Colegio

Patio

Calle de la Iglesia

Tienda de Ropa

Frutería

Iglesia

3. Escucha y canta.

11

LA YENKA

Vamos, chicos,
vamos, chicas, a bailar,
vamos todos juntos,
vamos a bailar.

Esto es muy fácil
y lo hacemos así.
Esta es la yenka
que se baila así.

Izquierda, izquierda,
derecha, derecha,
delante, detrás,
un, dos, tres. (2 veces)

4. Aprende.

todo recto   gira a la derecha   gira a la izquierda

5. Estás en el ayuntamiento. Di cómo ir a:

a. el restaurante   b. la peluquería   c. la piscina   d. el colegio

Por la avenida de los Encuartes y giras la primera a la izquierda.

En la casa de Elena

UNIDAD 2

1. Lee y observa.

**Cuarto A.
Es aquí. Llama.**

A
4º

**¡Hola, chicos!
¡Pasad! Este es el salón.**

¡Hola!

¡Hola!

- la televisión
- el cuadro
- el sillón
- el sofá
- la alfombra
- la planta

EL SALÓN-COMEDOR

- el espejo
- la bañera
- el váter
- el lavabo

Este es el cuarto de baño.

EL CUARTO DE BAÑO

- las cortinas
- la estantería
- la mesa
- el armario
- la silla
- la cama

Este es mi dormitorio.

EL DORMITORIO

2. Practica.

- ¿Dónde está la cama?
- En el dormitorio.

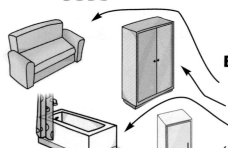

Estudiante A
El sofá
El armario
La bañera
El frigorífico

Estudiante B
El espejo
La estantería
El cuadro
El horno

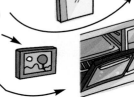

18 dieciocho

Esta es la cocina y aquí está mi abuela.

Umm, ¡qué bien huele!

el frigorífico

la cocina

¡Hola, chicos! ¿Queréis una *pizza*?

el fregadero

el horno

LA COCINA

EL RINCÓN DE LOS SONIDOS

3. **Escucha y repite.**

4. **Practica con tu compañero.**

¿Cómo se escribe *zorro*?

Zeta, o, erre, erre, o.

z < a, o, u

c < e, i

zorro

manzana

cine

11
once

zumo

Celia cena *pizza* y zumo de manzana.

za   zo   zu   ce   ci

Conocemos... BARCELONA

Barcelona

MAR MEDITERRÁNEO

Hoy hablamos de Barcelona. Está en el nordeste de España, junto al mar Mediterráneo. Es una ciudad muy grande y bonita. En Barcelona se habla catalán y castellano.

Esta catedral es la Sagrada Familia, una maravillosa obra del arquitecto Gaudí.

Este es el paseo de las Ramblas. Hay quioscos de prensa, artistas callejeros, restaurantes... ¡y muchas flores!

En Barcelona hacen torres humanas muy altas. En catalán se llaman *castells*.

¡Es hora de cenar! Quiero pan con tomate.

Yo quiero una crema catalana.

¡Guau, guau! ¡Yo quiero butifarra!

¿Y EN TU PAÍS...?

- ¿Cuántas lenguas se hablan en tu país? ¿Cuáles?
- En tu ciudad, ¿cuáles son los monumentos o lugares más interesantes?
- Di el nombre de alguna tradición o fiesta de tu país.
- ¿A qué hora desayunáis, coméis y cenáis en tu país?
- ¿Qué desayunáis, coméis y cenáis en tu país?

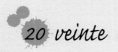

Amigos por correo

CORREO ELECTRÓNICO

Hola, soy Claudia. Quiero ser tu amiga por correo.

Reenviar	Responder	Enviar y recibir	Eliminar

¡Hola, Marco!

Me llamo Claudia y tengo 9 años. Quiero ser tu amiga por correo. Vivo en Barcelona, en la avenida Gaudí, número 25. Hablo catalán y castellano. Vivo con mis padres y mi hermana Sandra que tiene siete años. Mi casa está cerca de un parque y enfrente de un supermercado. Tiene jardín y tres dormitorios. Mi dormitorio es pequeño, pero bonito: tiene una cama, un armario, una mesa para trabajar y una estantería.

Esta es mi rutina diaria: me levanto a las ocho, desayuno y me voy al colegio. Mi asignatura preferida es Música. Como en el colegio. Las clases terminan a las cuatro.

Por las tardes, los lunes y los jueves voy a clase de guitarra. Los miércoles hago baile y los martes y los viernes hago deberes. Ceno a las ocho y media y me acuesto a las nueve y media.

¡Un abrazo!

Claudia.

Mi hermana Sandra y yo

Hago los deberes

LA ADIVINANZA

Redondo como un queso
y se le mueven los huesos.

El reloj

EL CHISTE

¿Qué hora es cuando un canguro pisa tu reloj?

- Hora de comprar otro nuevo.

EL CONDE ROCKE

La casa de la calle de la Niebla

Capítulo 2

NUESTRO PROYECTO

VAMOS DE COMPRAS

En las tiendas:

Quiero..., por favor.

PAPELERÍA 16

contesta una pregunta rosa 15

PANADERÍA 14

Librería 13

contesta una pregunta verde 12

JUGUETERÍA 11

MUEBLES 17

contesta una pregunta verde 18

golosinas 19

mascotas 20

contesta una pregunta rosa 21

farmacia 22

HELADERÍA 23

prensa 10

contesta una pregunta rosa 9

DEPORTES 8

PESCADERÍA 7

contesta una pregunta rosa 6

frutería 5

carnicería 4

•	¿Dónde venden medicinas?
••	Quieres comprar pescado. ¿A qué tienda vas?
•••	Nombra tres frutas y dos verduras.
••••	¿Dónde puedes comprar un sofá?
•••••	Un cuaderno cuesta 2,60 €. ¿Cuánto cuestan dos cuadernos?
••••••	¿Dónde venden cómics?

contesta una pregunta verde 3

•	Un kilo de plátanos cuesta 2,10 €. ¿Cuánto cuestan dos kilos?
••	Quieres comprar un bañador. ¿A qué tienda vas?
•••	¿Dónde venden raquetas?
••••	Nombra cuatro cosas que puedes comprar en una tienda de ropa.
•••••	¿Dónde puedes comprar una mascota?
••••••	¿Dónde venden *chuches*?

Moda 1

zapatería 2

¡Que aproveche!

P+N (17/6/16)

1.   **Escucha y lee.**

En España, los días de colegio desayunamos a las siete y media o a las ocho. Tomamos zumo, tostadas con mantequilla y mermelada y leche con cereales. A media mañana, en el recreo, tomamos fruta o un bocadillo. Comemos a la una en el comedor del colegio: hay un primer plato, un segundo y un postre. Al salir del colegio, a las cuatro, merendamos un bocadillo y un zumo o fruta. Y cenamos a las ocho u ocho y media.

2. **Observa, lee y contesta.**

Yo desayuno a las 7:30. Tomo zumo de naranja y leche con cereales. Y me llevo una manzana para el recreo.

Mamá desayuna pan con aceite, yogur y fruta.

¡Quiero tostadas con mermelada! ¡Qué ricas!

Manzana · Café · Magdalenas · Zumo · Cereales · Leche · Kiwi · Pera · Yogur · Pan · Aceite · Galletas · Mermelada · Tostada · Mantequilla

EN EL RECREO...

¿Quieres?

No, gracias. Tengo un bocadillo.

Yo tengo un zumo.

- ¿Qué desayuna Chema?
- ¿Qué desayuna Luna?
- ¿Qué desayuna su madre?
- ¿A qué hora desayunan?
- ¿Qué desayunas tú?
- ¿Qué comes en el recreo de la mañana?

3. Observa.

4.   Escucha y canta.

De primero, camarero,
tráigame para comer
entremeses amistosos,
risa en salsa, consomé,
cuatro gotas de alegría,
beso frito, amor suflé,
ensalada de cariño,
baile al horno con puré.

Menú, menú, menú,
¡menudo cocinero!
Si sabe preparar
menú, menú, tan bueno,
menú, menú, menú,
¡menuda situación!
¡Hay que ponerle un poco de
imaginación!

De segundo, camarero,
me apetece una canción,
empanadas musicales,
carcajadas con jamón,
chistecitos a la plancha,
la amistad de un chipirón,
bocaditos de ternura,
bromas al chilindrón.

Y de postre, camarero,
¡soy goloso por de más!,
quiero tarta enamorada,
crema de felicidad,
miel de sol, merengue alegre,
y un pastel descomunal
para todos los amigos
que se quieran apuntar.

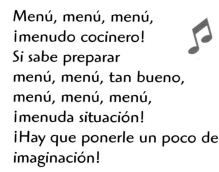

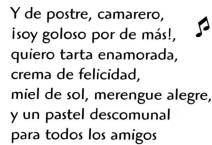

 **UNIDAD 3**

¿Sabes cocinar?

1. Lee la receta.

BATIDO DE FRESA

100 cien
200 doscientos
300 trescientos
400 cuatrocientos
500 quinientos
600 seiscientos
700 setecientos
800 ochocientos
900 novecientos

- Ingredientes

Dos yogures naturales.

Un vaso de leche fría.

600 gramos de fresas.

100 gramos de azúcar.

- Elaboración

1. Lavamos las fresas.

2. Quitamos las hojas.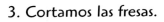

3. Cortamos las fresas.

4. Añadimos el azúcar, la leche y los yogures y batimos.

5. Lo ponemos en vasos y decoramos.

6. ¡Qué rico!

2.  Pregunta y responde. ¿Qué necesitamos?

¿Cuántos yogures?

Dos yogures.

¿Cuánta leche?

Un vaso de leche.

¿Cuántas fresas?

600 gramos.

La dieta mediterránea

3.   Escucha y lee.

La población española sigue la dieta mediterránea: tomamos mucha fruta y verdura, legumbres (judías, lentejas, garbanzos...), frutos secos y cereales.

Comemos bastantes aves y pescado y poca carne roja.

Utilizamos el aceite de oliva para cocinar y ponemos siempre pan en la mesa. La dieta mediterránea es buena para la salud.

Estos son algunos platos típicos de España

La paella valenciana

La tortilla de patatas

El cocido madrileño

El gazpacho andaluz

La fabada asturiana

El bacalao al pil pil

El pulpo a la gallega

El jamón ibérico y el chorizo

4. Investiga sobre la comida de otro país hispano.

Compartimos tareas

UNIDAD 3

1.   **Lee, observa y contesta.**

	PAPÁ	MAMÁ	RUBÉN	ANA	PABLO
Hacer la comida	✔				
Poner la mesa			✔	✔	✔
Quitar la mesa			✔	✔	✔
Lavar los platos	✔	✔			
Barrer el suelo		✔			
Limpiar el polvo				✔	
Poner la lavadora		✔			
Tender la ropa	✔				
Planchar la ropa		✔			
Hacer la cama	✔	✔	✔	✔	✔
Sacar la basura			✔		
Pasar la aspiradora	✔				

¿Quién hace la comida? ¿Quién pone la mesa? ¿Qué tareas hace papá? ¿Qué tareas hace Ana?

Frecuencia

2.  Observa, aprende y practica.

Siempre pongo la mesa.

A veces saco la basura.

Nunca plancho la ropa.

¿Cuándo pones la mesa?

Siempre pongo la mesa.

EL RINCÓN DE LOS SONIDOS

3. 16 Escucha y repite.

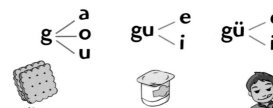

$$g < \begin{matrix} a \\ o \\ u \end{matrix} \qquad gu < \begin{matrix} e \\ i \end{matrix} \qquad gü < \begin{matrix} e \\ i \end{matrix}$$

galletas   yogur   goloso

Miguel   guisantes   cigüeña   pingüino

A mi amigo Miguel no le gustan los guisantes.

4. Practica con tu compañero.

¿Cómo se escribe *Miguel*?

Eme, i, ge, u, e, ele.

| ga | go | gu | gue | gui |

conocemos... SAN SEBASTIÁN

MAR CANTÁBRICO

San Sebastián

San Sebastián está en el norte de España, junto al mar Cantábrico, en el País Vasco. Sus habitantes hablan euskera y castellano. En euskera San Sebastián se dice *Donostia*. Los vascos son excelentes cocineros.

En la playa de Ondarreta hay una famosa escultura de Chillida: el *Peine del Viento*.

San Sebastián es famosa también por su buena comida. Son muy típicos los pintxos, parecidos a las tapas.

El Festival Internacional de Cine de San Sebastián es el más importante de los países donde se habla español, se celebra en este edificio, el Kursaal.

La playa principal de San Sebastián se llama La Concha. Es muy bonita.

¿Y EN TU PAÍS...?

- ¿Hay playa en tu ciudad?
- ¿Conoces alguna otra ciudad con playa? ¿Cómo es?
- ¿Te gusta ir al cine?
- ¿Qué comidas típicas hay en tu país?

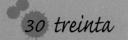

Amigos por correo

A mi padre y a mí nos gusta mucho cocinar.

Reenviar | Responder | Enviar y recibir | Eliminar

Querida Claudia:

Yo también como en el colegio. ¡El cocinero es muy bueno! Mi comida preferida son los macarrones con tomate. Pero me gusta también la paella y el pollo con patatas.

A mi padre y a mí nos gusta mucho cocinar. Yo ayudo a mi padre en la cocina. Sé hacer batidos riquísimos. ¿Sabes cocinar? Prueba a hacer este postre, es muy fácil:

Ingredientes: dos yogures naturales, azúcar, trocitos de fruta natural.

Elaboración: mezclar el azúcar y los yogures, añadir los trocitos de fruta (fresas, plátano, manzana...), mezclar bien y meter en la nevera. Tomar frío.

También ayudo en casa en otras tareas: pongo la mesa, quito la mesa, a veces saco la basura y siempre hago mi cama. ¿Qué tareas haces tú?

Besos,

Marco.

Cocino con mi padre

Pongo la mesa

LA ADIVINANZA

Campanita, campanera,
blanca por dentro,
verde por fuera.
Si no lo adivinas,
piensa y espera.

La pera

EL CHISTE

Pues, hija, repite.

¡Mamá, mamá, qué buena es la comida!

¡Mamá, mamá, qué buena es la comida!

Capítulo 3

EL CONDE ROCKE

El banquete

NUESTRO PROYECTO

UN PROGRAMA DE COCINA

1. Elaboramos una receta.

2. Hacemos un PowerPoint.

3. Escribimos la receta.

4. Lo exponemos en clase.

5. Invitamos a nuestros compañeros.

¡Yo soy un artista!

1. Escucha y canta.

¡YO SOY UN ARTISTA!

la guitarra

Yo soy un artista y vengo de París.
Tú eres un cuentista y no vienes de allí.
Yo sé tocar muy bien.
Y nosotros también.
Yo toco **la guitarra**.
Chinguilipungui, chinguilipungui, (3 veces)
chinguilipunguipunguipá.

Yo soy un artista...
Yo toco **la trompeta**.
Paparapá, paparapá, (3 veces)
pa, parapapapapá.

Yo soy un artista...
Yo toco **el violín**.
Tirirí, tirirí, (3 veces)
ti, ririrIrirí.

Yo soy un artista...
Yo toco **el tambor**.
Pompompón, pompompón, (3 veces)
pom, pompompompompompón.

el artista

la trompeta

el tambor

el violín

2. Aprende.

el piano

el saxofón

el clarinete

la batería

las castañuelas

la flauta

la armónica

la guitarra
eléctrica

¿Qué música te gusta?

FOLCLÓRICA

3.   **Lee y relaciona.**

RAP

1. Música interpretada por orquestas y solistas. Vivaldi, Mozart, Beethoven y Bach son cuatro compositores de esta música.

2. Es una música muy popular y comercial. Son cantantes o grupos famosos. Muchas personas van a sus conciertos.

CLÁSICA

3. El cantante habla siguiendo un ritmo. Con ese ritmo cuenta historias o dice lo que piensa.

4. Es la música tradicional de cada país o región. Se baila con trajes típicos regionales.

POP

5. Esta música se hace en su totalidad con aparatos electrónicos. También se utiliza para modificar una canción conocida.

ELECTRÓNICA

4. **Habla de música con tu compañero.**

¿Te gusta	el rap?
	la música folclórica?
	la música clásica?
	la música pop?
	la música electrónica?

→

☺	¡Es fenomenal! ¡Es estupenda! ¡Es genial!
☹	¡Es malísima! ¡Es horrible! ¡Es aburrida!

Me gusta...   A mí también.   A mí no.

Me gusta... pero no me gusta...
Me gusta... pero prefiero...

No me gusta...   A mí tampoco.   A mí sí.

¿Tocas un instrumento?

1. Observa y habla con tus compañeros.

(yo)	toco	la guitarra	muy bien 👍 ☺
(tú)	tocas	el piano	fenomenal
(él/ella/usted)	toca	el violín	estupendamente
(nosotros/as)	tocamos	la flauta	no muy bien, regular
(vosotros/as)	tocáis	la trompeta	mal, muy mal 👎
(ellos/ellas/ustedes)	tocan	la batería	fatal ☹

> Yo no toco ningún instrumento.

2. Investiga y escribe.

CHAMBAO

Chambao es una banda de música que mezcla sonidos de música flamenca y electrónica. La cantante se llama María del Mar Rodríguez, *la Mari*. Es de Málaga, al sur de España. A *la Mari* le gusta mezclar estilos y ritmos de diferentes partes del mundo con un fondo de guitarra flamenca. Le gusta el flamenco, la música étnica y los instrumentos africanos. Ella escribe la letra de muchas de sus canciones.

¡Es estupenda!

La fiesta del colegio

3. **Lee.**

¿Vas a participar en la fiesta?

Sí, yo voy a tocar la guitarra.

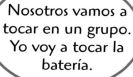

Nosotros vamos a tocar en un grupo. Yo voy a tocar la batería.

4. **Observa y aprende.**

Para expresar **planes e intenciones**, utilizamos: **ir a** + infinitivo .

Y a continuación, el grupo Sistema Solar va a interpretar *Tumbas.*

(yo)	voy a	
(tú)	vas a	tocar
(él/ella/usted)	va a	cantar
(nosotros/as)	vamos a	bailar
(vosotros/as)	vais a	participar
(ellos/ellas/ustedes)	van a	

¿Qué vas a ser?

UNIDAD 4

1. Escucha y lee.

18

Yo voy a ser cantante, ¿y tú?

¿Qué vas a ser de mayor?

Yo voy a ser periodista.

2. Observa y aprende.

a. actriz

b. enfermero

c. veterinaria

d. policía

e. periodista

f. cocinero

g. taxista

h. peluquero

i. camarero

j. bombero

3. El juego de las profesiones.

Elige una profesión y represéntala.
Tus compañeros la tienen que adivinar.

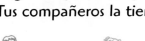	
profes**or** · profes**ora**	period**ista**
cociner**o** · cociner**a**	tax**ista**
enfermer**o** · enfermer**a**	cant**ante**
peluquer**o** · peluquer**a**	estudi**ante**
actor · actriz	policía

¿Eres cantante?

¿Eres actriz?

No. Sí.

Los oficios

4.   **Escucha y canta.**

Me pongo de pie,
me vuelvo a sentar
porque a los oficios
vamos a jugar.

Voy a representar
un niño peluquero,
que peina con un peine
y corta muchos pelos.

Me pongo de pie...

Voy a representar
una niña camionera
que conduce muy contenta
y canta en la carretera.

Me pongo de pie...

Voy a representar
un niño pastelero
haciendo tartas de queso.
¡Dame una que yo quiero!

Me pongo de pie...

Voy a representar
unos niños ingenieros
con ingenio y con cariño
mejorando el mundo entero.

EL RINCÓN DE LOS SONIDOS

5. **Escucha y lee.**

Erre con erre,
guitarra,
erre con erre,
barril,
erre con erre,
las ruedas
del ferrocarril.

Soy la araña
de España
que ni pica
ni araña.
Bailo flamenco
en la caña,
tacatá, tacatá.

Gloria Fuertes

| R fuerte | regular | guitarra |
| R suave | París | pastelero |

Ñ de España

araña   niño   niña   piña

La niña camionera canta en la carretera.

Conocemos... MÉXICO D.F.

MÉXICO

México D.F.

México D.F. es la capital de México, en América Central. En México hablan español y otras lenguas indígenas. Es una de las ciudades más pobladas del mundo. Mis abuelos paternos viven en México. Este verano vamos a ir a visitarlos.

La catedral Metropolitana es una de las maravillas de la ciudad. Está en la plaza del Zócalo. ¡Mira! ¡Hay unos mariachis!

Las fajitas, los tacos, los burritos, las quesadillas y el guacamole son comidas mexicanas.

El Día de Muertos es una tradición que se celebra el 2 de noviembre. Es una fiesta muy alegre, divertida y... sabrosa.

Cerca de México D.F. está Teotihuacán, la ciudad de los dioses, con la pirámide del Sol y la pirámide de la Luna: ¡qué bonito!

¿Y EN TU PAÍS...?

- ¿Sabes lo que es un mariachi?
- ¿Cuál es la música típica de tu país? ¿Cómo es? ¿Te gusta?
- ¿Qué bailes típicos hay en tu país? ¿Sabes bailarlos?
- ¿En tu país se celebra el Día de Muertos?
- ¿Te gusta la comida mexicana? ¿Hay algún restaurante mexicano en tu ciudad?

Amigos por correo

CORREO ELECTRÓNICO

Me gusta casi toda la música: clásica, pop, rap.

 Reenviar   Responder   Enviar y recibir   Eliminar

Querido Marco:

¡Hola! ¿Cómo estás? ¡Qué rico el postre! ¡Gracias por la receta! Sí, yo también ayudo en casa: siempre pongo y quito la mesa, a veces ayudo a tender la ropa y casi siempre ordeno mi dormitorio aunque mi madre dice que siempre está desordenado. ¿Sabes? El próximo viernes hay un festival de música en mi colegio. Muchos chicos y chicas van a participar. Yo también. Voy a tocar la guitarra española. Estoy un poco nerviosa, pero me encanta tocar la guitarra. Quiero estudiar música porque de mayor voy a ser guitarrista profesional. Me gusta casi toda la música: clásica, pop, rap... También me gusta ir con mis padres al teatro a ver una zarzuela: un teatro folclórico español en el que los actores hablan y cantan. ¿Y tú... tocas algún instrumento? ¿Qué música te gusta? ¿Qué vas a ser de mayor?

¡Hasta pronto!

Claudia.

¡Qué rico!

Con los actores de la zarzuela

LA ADIVINANZA

Con una manguera
casco y escalera
apago los fuegos y
las hogueras.

El bombero

EL CHISTE

Nada.

¿Y tu padre qué hace?

Capítulo 4

EL CONDE ROCKE

Algo divertido

NUESTRO PROYECTO

HACEMOS UN RAP

1. **Hacemos grupos de tres o cuatro compañeros.**

2. **Escribimos una lista con lo que vamos a hacer este fin de semana.**

> Voy a comer a casa de mi abuela.

> Voy a ir al cine.

> Voy a hacer los deberes.

3. **Escribimos la letra y el estribillo de un rap.**

4. **Ensayamos y cantamos el rap a nuestros compañeros.**

Estribillo
¿Qué vas a hacer?
¿Qué vas a hacer?
Este fin de semana,
¿qué vas a hacer?

> ¿Qué vas a hacer? ¿Qué vas a hacer? Este fin de semana, ¿qué vas a hacer?

> Este domingo, ¡es fenomenal!, porque a mi abuela voy a visitar.

 **Miramos un cuadro**

UNIDAD

1. **Observa este cuadro.**

Es de un famoso pintor español: Sorolla.
El cuadro se llama *Pescadoras valencianas*.

2. **¿Sabes...**

... qué significa *pescadora*?
... dónde está Valencia?

3. **Escucha y señala.**

4. **Habla con tu compañero.**

¿Quién es el autor de *Pescadoras valencianas*?

Sorolla.

- ¿Cuántas pescadoras hay?
- ¿Cuántos bebés hay?
- ¿De qué color es la arena?
- ¿De qué color es el mar?
- ¿De qué color es la cesta?

¿Quién fue Sorolla?

5.   **Escucha y lee.**

Sorolla **fue** un pintor español. **Nació** en Valencia el 27 de febrero de 1863. Sus padres **murieron** cuando tenía dos años y **vivió** con su hermana Eugenia y sus tíos. **Estudió** pintura y **pintó** muchos cuadros. **Fue** a París y allí **conoció** la pintura impresionista. **Pintó** paisajes llenos de la luz y el color del Mediterráneo. **Ganó** muchos premios y sus cuadros se **hicieron** famosos en todo el mundo. También **trabajó** como profesor en la Escuela de Bellas Artes de Madrid.

6.  **Fíjate en los verbos en pasado.**

Verbos regulares

	PINTAR	NACER	VIVIR
(yo)	pinté	nací	viví
(tú)	pintaste	naciste	viviste
(él/ella/usted)	pintó	nació	vivió
(nosotros/as)	pintamos	nacimos	vivimos
(vosotros/as)	pintasteis	nacisteis	vivisteis
(ellos/ellas/ustedes)	pintaron	nacieron	vivieron

Algunos verbos irregulares

	ESTAR	HACER	SER/IR
(yo)	estuve	hice	fui
(tú)	estuviste	hiciste	fuiste
(él/ella/usted)	estuvo	hizo	fue
(nosotros/as)	estuvimos	hicimos	fuimos
(vosotros/as)	estuvisteis	hicisteis	fuisteis
(ellos/ellas/ustedes)	estuvieron	hicieron	fueron

7. **Aprende.**

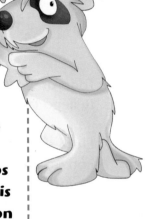

1 000= mil
2 000= dos mil
3 000= tres mil
4 000= cuatro mil
5 000= cinco mil
6 000= seis mil
7 000= siete mil
8 000= ocho mil
9 000= nueve mil

Escuchamos música

1. Escucha y lee.

Antonio Vivaldi fue un músico y compositor italiano. Nació en Venecia en 1678. Es el compositor de *Las cuatro estaciones*, cuatro conciertos para violín y orquesta.

otoño — invierno — verano — primavera

2. Escucha este fragmento de *La primavera*.

3. Escucha y lee.

Todo un invierno de espera...
¡y llegó la prima Vera!

Lleva un sombrero de cielo
con un pajarillo al vuelo
y pintado en la camisa
un sol de tardes de risas.

Si está contenta, las flores
se abren de mil colores.
Cuando está triste, su llanto
riega la hierba del campo.

Trae dentro de su equipaje
recuerdos de un largo viaje,
porque da cada año la vuelta al mundo
visitando a sus primos primeros y segundos.

Todo un invierno de espera...
¡Y ya llegó la PRIMAVERA!

Elena G. Hortelano

4. ¿Recuerdas? ¿Qué tiempo hace?

Hace	sol
	calor
	frío
	buen tiempo
	mal tiempo
	viento

Llueve	Está lloviendo
Nieva	Está nevando
Hay	niebla
	tormenta

¿Qué tiempo hizo ayer?

5. Lee.

Ayer hizo sol y buen tiempo.
Fui al parque con mis padres.

6. Observa y aprende.

Pasado	Presente	Futuro
Ayer La semana pasada El verano pasado El año pasado	Hoy Ahora	Mañana La semana próxima El verano que viene
Hizo... (frío, calor...) Hubo... (niebla, tormenta) Llovió Nevó	Hace... (frío, calor...) Hay... (niebla, tormenta) Llueve Nieva	Va a hacer... Va a haber... Va a llover Va a nevar

7. 26 Escucha y numera.

Hoy...

Ayer...

El año pasado...

La semana próxima...

8. Ahora cuéntaselo a tu compañero.

Hoy...

Leemos un poema

1. **Escucha, lee y aprende este poema.**

EL PRIMER RESFRIADO

Me duelen los ojos,
me duele el cabello,
me duele la punta
tonta de los dedos.

Y aquí en la garganta
una hormiga corre
con cien patas largas,
¡ay!, mi resfriado.
Chaquetas, bufandas,
leche calentita
y doce pañuelos
y catorce mantas
y estarse muy quieto
junto a la ventana.

Me duelen los ojos,
me duele la espalda,
me duele el cabello,
me duele la tonta
punta de los dedos.

Celia Viñas

2. **Observa y aprende.**

DOLER	
(A mí)	me duele/n
(A ti)	te duele/n
(A él/ella/usted)	le duele/n
(A nosotros/as)	nos duele/n
(A vosotros/as)	os duele/n
(A ellos/ellas/ustedes)	les duele/n

Me duele	**la** garganta
	la cabeza
	el estómago

Me duele**n**	**los** ojos
	los oídos
	las muelas

¿Qué te pasa?

3. Aprende.

ESTOY

Estoy contenta.

Estoy triste.

Estoy preocupada.

Estoy cansado.

Estoy enfadada.

Estoy enfermo.

Estoy aburrido.

Estoy asustado.

TENGO

Tengo sueño.

Tengo frío.

Tengo calor.

Tengo fiebre.

Tengo miedo.

Tengo sed.

EL RINCÓN DE LOS SONIDOS

4. 28 Escucha y repite.

5. Practica con tu compañero.

¿Cómo se escribe *viento*?

Uve, i, e, ene, te, o.

v	a e i o u		b	a e i o u	

viento

aburrido

nieva

primavera

baila

bombero

Víctor baila muy bien.

va ba — ve be — vi bi — vo bo — vu bu

c...on...ocemos... LA HABANA

CUBA   La Habana

MAR CARIBE

La Habana es la capital de Cuba. Cuba es una isla del mar Caribe, en América Central. Es una ciudad preciosa. Mi madre nació aquí.

La Habana Vieja es el barrio más antiguo de la ciudad. La catedral es muy bonita.

Los cubanos tienen mucho ritmo. Les encanta cantar y bailar: salsa, rumba, son, *hip hop*... casi siempre están contentos.

Este restaurante es muy conocido. El arroz, los frijoles y los plátanos fritos son platos típicos. Las frutas tropicales están deliciosas.

En Cuba las playas son muy bonitas: el agua es cristalina y la arena, muy blanca y fina.

¿Y EN TU PAÍS...?

- ¿Hay muchos turistas en tu país? ¿Y en tu ciudad?
- ¿Haces turismo? ¿Adónde vas de vacaciones? ¿Por qué?
- ¿Qué tiempo hace en tu ciudad?
- ¿Tiene islas tu país? ¿Cómo son?
- ¿Hay una parte más antigua en tu ciudad? ¿Cómo es?

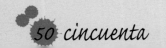

Amigos por correo

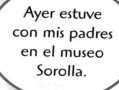

Ayer estuve con mis padres en el museo Sorolla.

 Reenviar   Responder   Enviar y recibir   Eliminar

Querida Claudia:

¿Qué tal el festival de música de tu colegio? ¡Seguro que tocaste fenomenal! Yo sé tocar la armónica, pero no toco muy bien... ¡Y me gusta mucho escuchar música! Me gusta casi toda la música, pero mi preferida es la música pop. Todavía no sé lo que quiero ser de mayor. Quizás futbolista o profesor de E. F. porque me gusta mucho el deporte.

Ayer estuve con mis padres en el museo Sorolla, en los talleres de *Los domingos en familia*. El pintor nació en Valencia, pero vivió en Madrid. Vimos su casa que tiene un jardín muy bonito y vimos también muchos de sus cuadros. A Sorolla le llaman *el pintor de la luz*. ¡Me gustó mucho! Al salir del museo, llovió y nos mojamos. Creo que cogí frío porque hoy me duele un poco la garganta. ¿Qué hiciste tú el fin de semana?

Hasta pronto,

Marco.

Me duele un poco la garganta

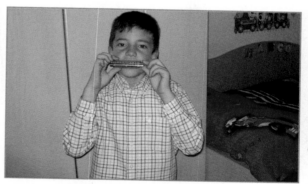

Yo sé tocar la armónica

LA ADIVINANZA

¿Qué es, qué es
lo que te da en la cara
y tú no lo ves?

El viento

EL CHISTE

Doctor, doctor... no me siento bien.

Creo que está usted comiendo muy mal.

5 Capítulo

EL CONDE ROCKE

La audición

NUESTRO PROYECTO

UN PERSONAJE ESPAÑOL

1. **Elegimos un personaje español y buscamos información en Internet. Por ejemplo, Gloria Fuertes.**

   - ¿Cuándo nació?
   - ¿Dónde nació?
   - ¿Cuándo murió?
   - ¿Qué escribió?
   - ¿Para quién escribió?
   - Alguna poesía suya.

2. **Preparamos una presentación sobre ese personaje.**

3. **La exponemos a nuestros compañeros.**

El sistema solar

1. **29** Escucha y lee.

El Sistema Solar está formado por el Sol y los planetas que giran alrededor de él.

El Sol es una estrella. No es muy grande, pero es la que más cerca está de nosotros, por eso brilla más que otras estrellas. Nos da luz y calor y gracias a él los animales y las plantas crecen.
La Tierra es uno de los planetas que giran alrededor del Sol. Además de La Tierra, existen otros siete planetas principales: Mercurio, Venus, Marte, Júpiter, Saturno, Urano y Neptuno. Y algunos planetas enanos como Plutón. Muchos planetas tienen satélites que giran alrededor de ellos. La Luna es el satélite de La Tierra.

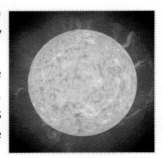

Los planetas

Los planetas

LECCIÓN 1

2.  Observa y aprende. Es...

el más	grande pequeño caliente frío

el que está más	cerca lejos	del Sol

más	grande pequeño	que...

menos	grande pequeño	que...

tan	grande pequeño	como...

3. Observa y completa la frase.

Planeta	Distancia al Sol (km)	Diámetro (km)	Temperatura media
Mercurio	57 900 000	4 900	400 °C
Venus	108 200 000	12 100	482 °C
La Tierra	150 000 000	12 700	13 ° C
Marte	228 000 000	6 800	63 °C
Júpiter	778 400 000	142 900	- 150 °C
Saturno	1 425 600 000	120 500	- 170 °C
Urano	2 867 000 000	51 100	- 200 °C
Neptuno	4 486 000 000	49 500	- 210 °C

Mercurio es el planeta más pequeño.

... es el planeta más pequeño.
... es el planeta más grande.
... es el planeta más caliente.

... es el planeta más frío.
... es el que está más cerca del Sol.
... es el que está más lejos del Sol.

4. Juega con tu compañero.

Es más grande que Mercurio, pero más pequeño que La Tierra.

¡Es Venus!

Viaje por el espacio

1. **Forma frases compuestas.**

Voy a...

Sandra se va a entrenar para ser astronauta.

a. ... hacer ejercicio todos los días.

b. ... practicar movimientos en un aparato sin gravedad.

c. ... practicar la respiración, con una botella de oxígeno.

d. ... comer alimentos con mucha energía.

e. ... simular situaciones de emergencia.

f. ... aprender a usar los mandos de control.

1. ... porque en el espacio no hay aire.	4. ... porque en el espacio no hay gravedad.
2. ... porque necesito fortalecer mis músculos.	5. ... porque voy a dirigir la nave espacial.
3. ... porque en el espacio no hay alimentos frescos.	6. ... porque pueden pasar muchas cosas.

2.  **Imagina que vas a viajar en una nave espacial.**

No sabes dónde vas.
No sabes cuánto tiempo.
En la nave hay ropa y comida.

Puedes llevar cinco cosas contigo...
¿Qué llevas?

¿Crees que hay vida en el espacio?

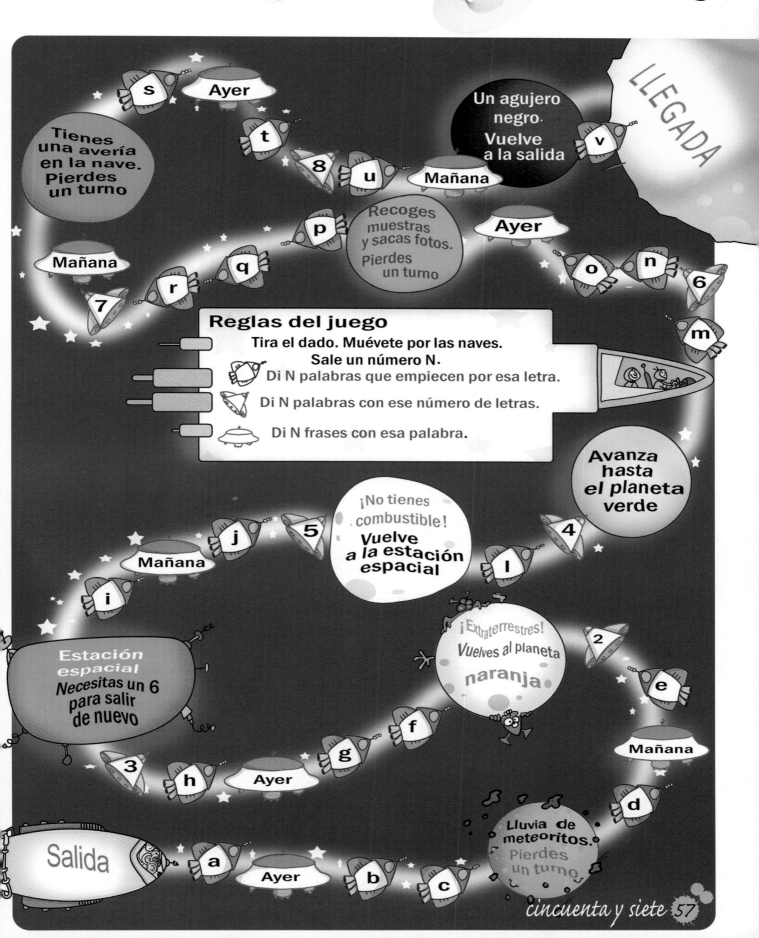

¡Vamos de vacaciones!

1. **Escucha y lee.**

Y luego, vamos a ir a un campamento de verano.

Rubén y yo vamos a ir a México a visitar a nuestros abuelos paternos.

Mi padre, mi hermano Ramón y yo vamos a volar en avión a Bolivia. Mi madre está trabajando allí. Es médica. Luego, los cuatro vamos a visitar Machu Picchu, en Perú.

Yo me voy a quedar en Madrid. Voy a ir a la piscina y al parque de atracciones y voy a leer mucho.

Yo voy a ir quince días a Cuba. Mi abuelita vive allí. Luego, mis padres, mi hermana Luna y yo vamos a estar otros quince días en la montaña, en Santander.

¿Qué vas a hacer?

2. Habla con tus compañeros.

Y tú, ¿qué hiciste el verano pasado?

El verano pasado fui a...

Este verano voy a...

¿Qué vas a hacer este verano?

3. Escucha y canta.

31

Debajo del tintero
hay unos ratones
diciendo a la profesora
que nos den las vacaciones.
Si no nos las dan,
que no nos las den,
¡abrimos la puerta y echamos a correr!
Uno, dos y tres. (bis)

¡¡Vacaciones!!

EL RINCÓN DE LOS SONIDOS

4. Escucha y repite.

32

5. Practica con tu compañero.

¿Cómo se escribe Júpiter?

Jota, u, pe, i, te, e, erre.

$$j < \begin{matrix} a \\ o \\ u \end{matrix} \qquad j < \begin{matrix} e \\ i \end{matrix} \qquad g < \begin{matrix} e \\ i \end{matrix}$$

naranja   Júpiter   rojo

colegio   jirafa   Argentina   jersey

Júpiter gira alrededor del Sol.

| ja | je/ge | ji/gi | jo | ju |

conocemos... BUENOS AIRES

ARGENTINA

Buenos Aires

Buenos Aires es la capital de Argentina. Está en el Río de la Plata, junto al océano Atlántico. En Argentina se habla español, pero también italiano y otras lenguas indígenas como el mapuche, el quechua o el guaraní.

La avenida 9 de Julio es una de las más anchas del mundo, ahí está el obelisco de Buenos Aires.

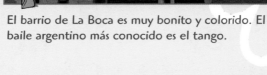

El barrio de La Boca es muy bonito y colorido. El baile argentino más conocido es el tango.

La Casa Rosada es donde vive la presidenta del país, está en la plaza de Mayo.

Los asados de carne argentina son internacionalmente conocidos. El mate es la bebida nacional.

¿Y EN TU PAÍS...?

- ¿Te gusta la carne asada? ¿La comes con frecuencia en casa?
- ¿Hay grandes avenidas en tu ciudad? Describe las calles más importantes.
- En Buenos Aires toman mate. ¿Qué infusiones se toman en tu país?
- ¿Se toman frías o calientes? ¿Te gustan?

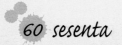

Amigos por correo

CORREO ELECTRÓNICO

> Este verano voy a ir de vacaciones a las islas Canarias.

| | Reenviar | Responder | Enviar y recibir | Eliminar |

Querido Marco:

¿Cómo estás? ¿Mejor de tu resfriado? ¡Eso espero!

Ayer fue el último día de colegio. Tuvimos una fiesta. Los alumnos de primero y segundo cantaron canciones; los de tercero y cuarto bailaron bailes modernos. Nosotros hicimos una obra de teatro y los de sexto recitaron poesías. Luego, todos comimos bocadillos y bebimos refrescos y nos despedimos hasta septiembre.

Este verano voy a ir de vacaciones a las islas Canarias. Primero vamos a ir a Tenerife a visitar El Teide, que es un volcán, a comer «papas arrugás» y «mojo picón» y nos vamos a bañar en el mar. En Canarias, siempre hace buen tiempo. Vamos a ir en avión. Luego, vamos a ir en barco a Lanzarote y voy a escribirte una postal. El verano pasado fuimos a las Islas Baleares. ¿Dónde fuiste tú? ¿Qué vas a hacer estas vacaciones?

Claudia.

En el aeropuerto

El Teide

EL CHISTE

> Mira, mamá, sin manos.

> Mira, mamá, sin pies.

> Mira, mamá, sin dientes.

Capítulo 6

EL CONDE ROCKE

El festival de música

NUESTRO PROYECTO

LOS PLANETAS

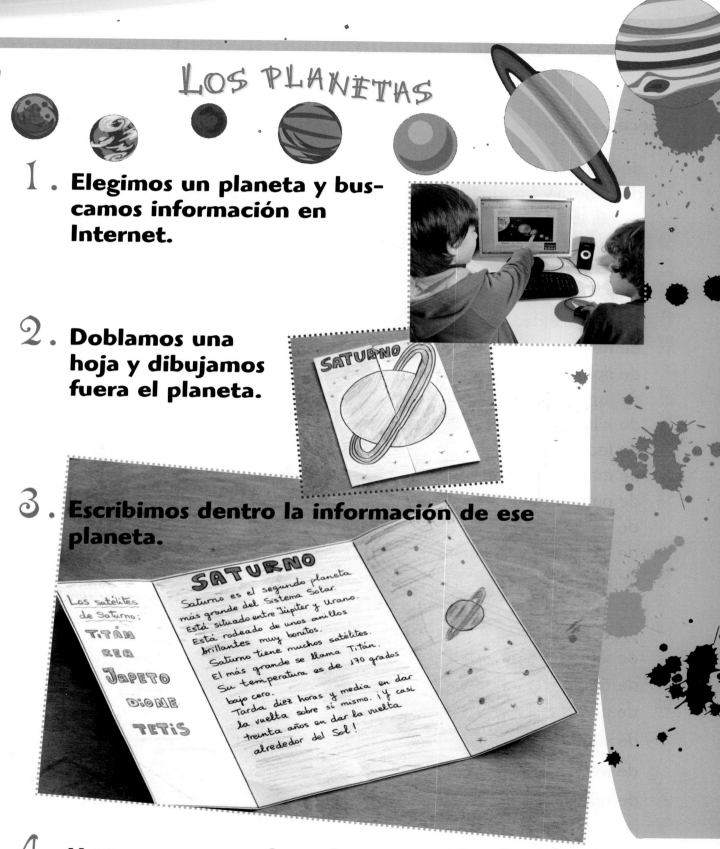

1. **Elegimos un planeta y buscamos información en Internet.**

2. **Doblamos una hoja y dibujamos fuera el planeta.**

SATURNO

3. **Escribimos dentro la información de ese planeta.**

Los satélites de Saturno:
TITÁN
REA
JAPETO
DIONE
TETIS

SATURNO

Saturno es el segundo planeta más grande del Sistema Solar. Está situado entre Júpiter y Urano. Está rodeado de unos anillos brillantes muy bonitos. Saturno tiene muchos satélites. El más grande se llama Titán. Su temperatura es de 170 grados bajo cero. Tarda diez horas y media en dar la vuelta sobre sí mismo. ¡Y casi treinta años en dar la vuelta alrededor del Sol!

4. **Hacemos un mural en clase con todos los planetas.**

Días especiales

EL DÍA DE LA PAZ

30 de enero

Abecedario por la PAZ:

A de amor y amistad
B de belleza y bondad
C de colaborar y compartir
D de dialogar
E de esfuerzo y escuchar
F de familia y fiesta
G de generosidad y gracias
H de humor
I de ilusión e imaginación
J de jugar mucho
K de kilos de... abrazos
L de lectura y libertad
M de mamá y manos
N de naturaleza
Ñ de niños
O de obedecer y ordenar
P de papá y perdonar
Q de querer
R de reír y respetar
S de saludar y sinceridad
T de tolerancia y trabajar
U de unión
V de vida
W de *welcome*!
X de refle**x**ionar
Y de yo
Z para juntos construir la PA**Z** con nuestras palabras y acciones.

EL DÍA DE LA TIERRA

22 de abril

La Tierra es nuestro hogar y el de todos los seres vivos. El 22 de abril celebramos en todo el mundo el Día de La Tierra. Es un buen momento para reflexionar y pensar qué podemos hacer nosotros para ayudar a La Tierra.

Apagar la luz cuando salimos de una habitación.

Cerrar el grifo cuando nos cepillamos los dientes.

Reciclar la basura.

Si cuidas La Tierra, ella cuidará de ti.

Celebrar el Día de La Tierra limpiando un parque.

PRESENTE VERBOS REGULARES

AR   ER   IR

	HABL**AR**	COM**ER**	VIV**IR**
(yo)	habl**o**	com**o**	viv**o**
(tú)	habl**as**	com**es**	viv**es**
(él/ella/usted)	habl**a**	com**e**	viv**e**
(nosotros/as)	habl**amos**	com**emos**	viv**imos**
(vosotros/as)	habl**áis**	com**éis**	viv**ís**
(ellos/ellas/ustedes)	habl**an**	com**en**	viv**en**

REFLEXIVOS

	DUCH**AR**SE
(yo)	**me** duch**o**
(tú)	**te** duch**as**
(él/ella/usted)	**se** duch**a**
(nosotros/as)	**nos** duch**amos**
(vosotros/as)	**os** duch**áis**
(ellos/ellas/ustedes)	**se** duch**an**

ALGUNOS VERBOS IRREGULARES

	ESTAR	SER	IR
(yo)	est**oy**	**soy**	**voy**
(tú)	estás	**eres**	**vas**
(él/ella/usted)	está	**es**	**va**
(nosotros/as)	estamos	**somos**	**vamos**
(vosotros/as)	estáis	**sois**	**vais**
(ellos/ellas/ustedes)	están	**son**	**van**

	PODER	TENER	QUERER	VENIR	DECIR
(yo)	p**ue**do	ten**go**	qu**ie**ro	ven**go**	d**i**go
(tú)	p**ue**des	t**ie**nes	qu**ie**res	v**ie**nes	d**i**ces
(él/ella/usted)	p**ue**de	t**ie**ne	qu**ie**re	v**ie**ne	d**i**ce
(nosotros/as)	podemos	tenemos	queremos	venimos	decimos
(vosotros/as)	podéis	tenéis	queréis	venís	decís
(ellos/ellas/ustedes)	p**ue**den	t**ie**nen	qu**ie**ren	v**ie**nen	d**i**cen

o → ue   ————————— e → ie —————————   e → i

	GUSTAR	APETECER	DOLER
(a mí)	**me** gusta/n	**me** apetece/n	**me** duele/n
(a ti)	**te** gusta/n	**te** apetece/n	**te** duele/n
(a él/ella/usted)	**le** gusta/n	**le** apetece/n	**le** duele/n
(a nosotros/as)	**nos** gusta/n	**nos** apetece/n	**nos** duele/n
(a vosotros/as)	**os** gusta/n	**os** apetece/n	**os** duele/n
(a ellos/ellas/ustedes)	**les** gusta/n	**les** apetece/n	**les** duele/n

gusta apetece duele	+ singular	Me gusta el *rock*. Me apetece un helado. Me duele la cabeza.
gusta**n** apetece**n** duele**n**	+ plural	Me gusta**n los** conciertos. Me apetece**n unas** patatas fritas. Me duele**n los** oídos.

☺ Me gusta el queso... ⇨ ☺ A mí también. ⇨ ☹ A mí no.

☹ No me gusta el queso... ⇨ ☹ A mí tampoco. ⇨ ☺ A mí sí.

SER   y   **ESTAR**

Soy Elena.   Estoy en la cocina.
Soy española.   Estoy contenta.
Soy rubia.
Soy cantante.

FUTURO PARA PLANES E INTENCIONES

IR a + infinitivo

(yo)	**voy a**	
(tú)	**vas a**	comer
(él/ella/usted)	**va a**	cantar
(nosotros/as)	**vamos a**	+ bailar
(vosotros/as)	**vais a**	dormir
(ellos/ellas/ustedes)	**van a**	

PASADO VERBOS REGULARES

	AR PINTAR	ER NACER	IR VIVIR
(yo)	pinté	nací	viví
(tú)	pintaste	naciste	viviste
(él/ella/usted)	pintó	nació	vivió
(nosotros/as)	pintamos	nacimos	vivimos
(vosotros/as)	pintasteis	nacisteis	vivisteis
(ellos/ellas/ustedes)	pintaron	nacieron	vivieron

PASADO VERBOS IRREGULARES

	ESTAR	TENER	SER/IR	LEER
(yo)	estuve	tuve	fui	leí
(tú)	estuviste	tuviste	fuiste	leíste
(él/ella/usted)	estuvo	tuvo	fue	leyó
(nosotros/as)	estuvimos	tuvimos	fuimos	leímos
(vosotros/as)	estuvisteis	tuvisteis	fuisteis	leísteis
(ellos/ellas/ustedes)	estuvieron	tuvieron	fueron	leyeron

	VENIR	QUERER	HACER	OÍR
(yo)	vine	quise	hice	oí
(tú)	viniste	quisiste	hiciste	oíste
(él/ella/usted)	vino	quiso	hizo	oyó
(nosotros/as)	vinimos	quisimos	hicimos	oímos
(vosotros/as)	vinisteis	quisisteis	hicisteis	oísteis
(ellos/ellas/ustedes)	vinieron	quisieron	hicieron	oyeron

EL TIEMPO EN PASADO

Cuando la raíz termina en vocal i → y

Ayer	llovió	hizo frío
La semana pasada	nevó	hizo calor
El verano pasado	estuvo lloviendo	hubo niebla
El año pasado	estuvo nevando	hubo tormenta

EL NOMBRE

Género y número

GÉNERO

Masculino	Femenino	Masculino y femenino
El/un...	La/una...	El/un... La/una...
-o: niñ**o**/plat**o** **-e**: cin**e** **-consonante**: profeso**r**	**-a**: niñ**a**/cas**a** **-ción**: can**ción** **-d**: salu**d**	**-ista**: perio**dista** **-ante**: cant**ante**
excepciones: el sofá	excepciones: la mano, la nariz, la leche	pero: el presidente la presidenta

NÚMERO

Si el singular termina en...		El plural se forma...	
Vocal:	niño/niña	**+ s**:	niño**s** niña**s**
Consonante:	profesor	**+ es**:	profesor**es**
-z:	pez	c **+ es**:	pec**es**
-s:	martes	**no cambia**:	martes

EL ADJETIVO

Género y número

	Masculino	Femenino	Masculino y femenino
Singular	-o: pequeñ**o**	-a: pequeñ**a**	**-e**: grand**e** **consonante**: azu**l**
Plural	pequeño**s**	pequeña**s**	**-es** grande**s** azul**es**

Concordancia

El chic**o** es alt**o**.   Los chic**os** son alt**os**.

La chic**a** es alt**a**.   Las chic**as** son alt**as**.

Comparación con adjetivos

Más grande **que**

Menos grande **que**   **el más** grande de todos

Tan grande **como**

sesenta y nueve 69

Resumen gramatical

NÚMEROS

10 diez	100 cien	1 000 mil	1 000 000 un millón
20 veinte	200 doscientos	2 000 dos mil	2 000 000 dos millones
30 treinta	300 trescientos	3 000 tres mil	3 000 000 tres millones
40 cuarenta	400 cuatrocientos	4 000 cuatro mil	4 000 000 cuatro millones
50 cincuenta	500 quinientos	5 000 cinco mil	5 000 000 cinco millones
60 sesenta	600 seiscientos	6 000 seis mil	6 000 000 seis millones
70 setenta	700 setecientos	7 000 siete mil	7 000 000 siete millones
80 ochenta	800 ochocientos	8 000 ocho mil	8 000 000 ocho millones
90 noventa	900 novecientos	9 000 nueve mil	9 000 000 nueve millones

Ejemplo: 1 342 157 un **millón** trescientos cuarenta **y** dos **mil** ciento cincuenta **y** siete.

ORDINALES

1.° primero	6.° sexto
2.° segundo	7.° séptimo
3.° tercero	8.° octavo
4.° cuarto	9.° noveno
5.° quinto	10.° décimo

LA HORA

en punto   y media   y cuarto   menos cuarto

ORTOGRAFÍA

ca	co	cu	que	qui
za	zo	zu	ce	ci
ga	go	gu	gue	gui
ja	jo	ju	je/ge	ji/gi
ñ	r	b/v	h	

HACER PREGUNTAS

QUÉ

¿Qué hora es? _____ Las dos y media.
¿Qué idiomas hablas? _____ Inglés y español.
¿Qué tiempo hizo ayer? _____ Hizo frío.
¿Qué te pasa? _____ Tengo sueño.
¿Qué vas a hacer mañana? ____ Voy a ir al cine.
¿A qué hora te levantas? _____ A las siete.

DÓNDE

¿Dónde vives? _____ En Madrid.
¿De dónde eres? _____ De España.
¿Dónde está el banco? _____ En la calle del Comercio.
¿Dónde hay un restaurante? _____ Al lado del banco.
¿Adónde vas? _____ A mi casa.
¿Dónde quedamos?_____ En mi casa.
¿Adónde fuiste de vacaciones? ____ Fui a París.
¿Adónde vas a ir de vacaciones? ___ Voy a ir a París.

CÓMO

¿Cómo te llamas? _____ Elena.
¿Cómo se escribe *pez*? _____ Pe, e, zeta.
¿Cómo es Ana? _____ Morena.
¿Cómo estás?_____ Bien, gracias.

CUÁNDO

¿Cuándo es tu cumpleaños? ____ El catorce de enero.
¿Cuándo nació Sorolla?_____ En 1863.
¿Cuándo haces tu cama? _____ Casi siempre.

QUIÉN/QUIÉNES

¿Quién es esa chica? _____ Mi hermana.
¿Quién**es son** esas chicas? _____ Mis hermanas.
¿Quién hace la comida? _____ Mi padre.

CUÁL/CUÁLES

¿Cuál es tu dirección?_____ Calle Laurel, 27.
¿Cuál es la capital de España? _____ Madrid.
¿Cuál es el planeta más grande?_____ Júpiter.
¿Cuál**es son** los platos típicos? ____ La paella y el gazpacho.

CUÁNTO/A

¿Cuánto dinero tienes? _____ Dos euros.
¿Cuánta fruta hay? _____ No hay fruta.

CUÁNTOS/AS

¿Cuántos yogures hay? _____ Dos yogures.
¿Cuántas manzanas hay? _____ Tres manzanas.

PISTAS CD

LIBRO DEL ALUMNO

UNIDAD 1 La pandilla

Pista 1 La pandilla.

Pista 2 Canción: Buenos días, América.

Pista 3 ¿De dónde eres?

Pista 4 Vivo en Madrid.

Pista 5 Mi tío Quique.

Pista 6 El rincón de los sonidos 1.

UNIDAD 2 ¿Dónde quedamos?

Pista 7 ¿Dónde quedamos?

Pista 8 Canción: Tumbas...

Pista 9 Rutina diaria.

Pista 10 Vamos a casa de Elena.

Pista 11 Canción: La Yenka.

Pista 12 El rincón de los sonidos 2.

UNIDAD 3 ¡Que aproveche!

Pista 13 ¡Qué aproveche!

Pista 14 Canción: ¡Menudo cocinero!

Pista 15 La dieta mediterránea.

Pista 16 El rincón de los sonidos 3.

UNIDAD 4 ¡Yo soy un artista!

Pista 17 Canción: ¡Yo soy un artista!

Pista 18 ¿Qué vas a ser de mayor?

Pista 19 Canción: La canción de los oficios.

Pista 20 El rincón de los sonidos 4.

UNIDAD 5 Miramos un cuadro

Pista 21 Pescadoras valencianas.

Pista 22 ¿Quién fue Sorolla?

Pista 23 Las cuatro estaciones, de Vivaldi.

Pista 24 Fragmento corto de La primavera.

Pista 25 Llegó la prima Vera.

Pista 26 El tiempo.

Pista 27 El primer resfriado.

Pista 28 El rincón de los sonidos 5.

UNIDAD 6 El Sistema Solar

Pista 29 El Sistema Solar.

Pista 30 ¡Vamos de vacaciones!

Pista 31 Canción: Debajo del tintero.

Pista 32 El rincón de los sonidos 6.

Pista 33 El día de La Tierra.

CUADERNO DE EJERCICIOS

UNIDAD 1 La pandilla

Pista 34 Hola. Me llamo Héctor.

Pista 35 Damos la dirección.

Pista 36 Con quién vivo.

UNIDAD 2 ¿Dónde quedamos?

Pista 37 ¿Dónde están?

Pista 38 La casa de Rubén.

Pista 39 El salón.

UNIDAD 3 ¡Que aproveche!

Pista 40 Las tareas de la casa.

UNIDAD 4 ¡Yo soy un artista!

Pista 41 Me encanta la música.

Pista 42 ¿Qué planes tienen?

Pista 43 ¿Qué quieren ser?

Pista 44 La agenda de Felipe.

UNIDAD 5 Miramos un cuadro

Pista 45 Fragmento largo de La primavera.

Pista 46 ¿Qué te pasa?

UNIDAD 6 El Sistema Solar

Pista 47 El astronauta.

Pista 48 Nos vamos de vacaciones

Pista 49 ¿Dónde vas a ir?

CARPETA DE RECURSOS: EVALUACIONES

Pista 50 Evaluación 1.

Pista 51 Evaluación 2.

Pista 52 Evaluación 3.

Pista 53 Evaluación 4.

Pista 54 Evaluación 5.

Pista 55 Evaluación 6.